D1291741

Ce livre appartient à

Cendrillon

D'APRÈS

Charles Perrault

ILLUSTRATIONS

Lynn Bywaters

Mango

Dans la même collection

Blanche-Neige
Boucle d'or et les Trois Ours
Casse-Noisette
La Belle au bois dormant
La Belle et la Bête
La Petite Marchande d'allumettes
La Petite Sirène
Le Vilain Petit canard
Les Musiciens de Brême

Adaptation Samantha Easton
Traduction Ariane Bataille
© Editions Mango 1993 pour la langue française
Cinderella copyright © 1992 by Armand Eisen
Dépôt légal : janvier 1997
ISBN 2 7404 0234 1
Impression Publiphotoffset - 93500 Pantin

Cendrillon

Il était une fois un gentilhomme fort riche qui épousa en secondes noces une femme très orgueilleuse et méchante qui avait deux filles aussi orgueilleuses et méchantes qu'elle.

Or cet homme avait déjà une fille de son premier mariage. Cette jeune fille était si belle et si bonne que sa belle-mère et ses deux demi-sœurs, folles de jalousie, la traitaient sans égards.

Elle devait faire la cuisine, le ménage, coiffer et habiller avec soin ses sœurs alors qu'elle-même était vêtue de vilains haillons gris. La jeune fille possédait un cœur en or, aussi ravala-t-elle ses larmes lorsqu'on la baptisa en riant "Cendrillon" car elle couchait par terre au milieu des cendres.

Il arriva un jour où les sœurs de Cendrillon reçurent une invitation pour le bal que le roi donnait en l'honneur de son fils. Toutes les jeunes demoiselles du royaume y étaient conviées car le prince souhaitait choisir parmi elles sa fiancée.

Les sœurs de Cendrillon, à partir de ce jour-là, n'eurent plus d'autres pensées que de choisir les meilleurs atours et les coiffures les plus raffinées.

"Moi, décida l'aînée, je mettrai ma robe brodée d'or. Je suis certaine que le prince me remarquera !

– Moi, poursuivit la cadette, je porterai mon habit de velours rouge. Mère m'a toujours dit que le rouge était la couleur qui me seyait le mieux !"

Et elles parlaient, parlaient, parlaient, chacune d'elles étant bien décidée à être la plus belle du bal.

Le grand jour arriva enfin. Dès l'aube, les deux sœurs ne cessèrent de harceler Cendrillon qui les habilla et les coiffa de son mieux car elle était aussi habile qu'elle avait bon goût.

"Cendrillon ! Repasse mon jupon de soie ! criait l'une.

– Cendrillon ! Frise-moi les cheveux ! s'impatientait l'autre.

– Attache donc ce ruban ! ordonnait la première.

– Cire mes chaussures !" vociférait la seconde.

Et Cendrillon, d'une grande patience, obéissait sans se plaindre.

Enfin, elles furent prêtes. Sur le seuil de la porte, Cendrillon laissa échapper un gros soupir :

"Comme j'aurais aimé aller à ce bal !"

Ses sœurs éclatèrent d'un rire moqueur.

"Toi ? s'écria l'aînée. Quelle idée !

– Qu'est-ce que tu aurais mis ? renchérit la cadette. Ta vieille robe grise et ton tablier rapiécé ?"

Et elles montèrent dans leur carrosse en riant aux éclats.

Après leur départ, Cendrillon alla s'asseoir en pleurant au coin du feu.

Une voix se fit alors entendre : " Pourquoi pleures-tu, Cendrillon ?"

Elle leva les yeux et vit une belle dame vêtue d'une robe bleue parsemée d'étoiles d'argent, qui tenait à la main une baguette étincelante.

"Je pleure parce que...

– Parce que tu voudrais bien aller au bal toi aussi, continua la belle dame à sa place. Eh bien, tu iras. Je suis ta bonne marraine la fée et, ce soir, je suis venue pour exaucer tous tes vœux ."

Avant que Cendrillon n'ait eu le temps de prononcer un mot, la fée l'avait entraînée dans le jardin. "Il faut d'abord choisir une belle grosse citrouille, dit-elle. Celle-ci fera l'affaire."

Stupéfaite, Cendrillon la vit agiter sa baguette magique au-dessus de la citrouille qui se transforma en un superbe carrosse doré !

“Voyons maintenant s’il ne se trouve pas quelques souris dans la souricière.”

Il y en avait six qu’elle effleura à peine de sa baguette magique. Les souris se changèrent en six magnifiques chevaux gris pommelé.

“Allons donc jeter un coup d’œil dans la ratière”, poursuivit malicieusement la fée.

Un gros rat blanc y était prisonnier. D’un coup de baguette magique, il se transforma en un fringant cocher aux belles moustaches.

"Et maintenant, dit la fée à Cendrillon, trouve-moi six grenouilles vertes dans la mare."

Cendrillon lui rapporta les six grenouilles que la bonne fée changea en valets de pied vêtus de vert. Cendrillon était illuminée par la joie. Mais quand elle baissa les yeux sur sa vieille robe grise, son visage redevint triste.

"Ne t'inquiète pas ! lui dit gentiment sa marraine. Voyons voir !"

Elle agita de nouveau sa baguette magique, et la vieille robe grise se changea en la plus belle robe de bal que Cendrillon eût jamais vue ! C'était une robe cousue de fils d'or, parsemée d'argent et incrustée de véritables pierres précieuses. Puis la fée lui offrit une paire de pantoufles de verre.

"Tu peux aller au bal maintenant, ajouta-t-elle en souriant. Mais attention ! Tu devras être rentrée avant que n'ait sonné le douzième coup de minuit. Car passé minuit, le charme sera rompu. Ton carrosse doré redeviendra une citrouille, tes chevaux des souris, ton cocher un rat et tes valets de pied des grenouilles. Et ta robe de bal ne sera plus que haillons."

Cendrillon promit et remercia vivement sa bonne marraine. Puis elle monta légère et gracieuse dans le beau carrosse qui se dirigea à vive allure vers le palais du roi.

Quand Cendrillon pénétra dans la salle de bal, elle était si ravissante que tout le monde cessa de parler pour la regarder.

"Qui est-ce ?" chuchotait-on.

Ses sœurs, qui ne l'avaient pas reconnue, pensèrent que ce devait être une princesse venue d'une contrée lointaine. Qui d'autre aurait pu être parée d'une robe d'une telle richesse ?

Le prince lui-même n'avait jamais vu une si belle personne. Il s'inclina respectueusement devant elle et l'invita à danser.

Cendrillon consentit avec un gracieux signe de tête. Elle dansait avec tant d'élégance que tout le monde l'admirait encore davantage.

Le prince dansa toute la soirée avec elle. Jamais elle ne s'était sentie aussi heureuse. Elle avait l'impression de rêver.

Elle s'amusait tellement qu'elle ne vit pas les heures passer. Soudain retentit le premier coup de minuit.

"Adieu !" murmura-t-elle en quittant la salle de bal. Le prince tenta de la retenir, mais Cendrillon disparut comme par enchantement après une dernière révérence.

Dans sa hâte, elle perdit l'une de ses pantoufles de verre sur les marches du palais. Juste au moment où elle atteignait les grilles du palais, le douzième coup de minuit retentit : sa robe de bal se transforma alors en vieux haillons gris, son carrosse doré en citrouille, et elle vit s'échapper rat, souris et grenouilles. Alors, elle rentra chez elle à pied, épuisée mais ravie.

Le lendemain matin, le prince trouva la pantoufle de verre de Cendrillon sur les marches du palais. C'était la pantoufle la plus fine qu'il eût jamais vue. Il la ramassa délicatement et l'apporta à son père.

"J'épouserai la jeune fille qui pourra glisser son pied dans cette pantoufle", déclara-t-il.

Le roi dépêcha des serviteurs à travers tout le royaume.

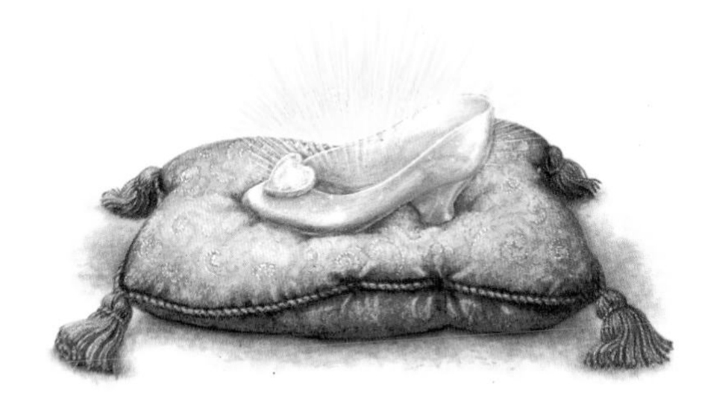

Princesses, duchesses, comtesses, toutes les dames de la Cour et des royaumes voisins essayèrent la pantoufle de verre, mais aucune ne pouvait la mettre à son pied.

Enfin, les serviteurs du roi arrivèrent chez Cendrillon. Ses deux demi-sœurs étaient impatientes de l'essayer car chacune était persuadée d'avoir les pieds les plus fins du monde.

L'aînée essaya la première, mais elle put à peine y glisser les orteils. La cadette essaya à son tour mais elle eut beau faire, son talon ne voulut pas passer.

Cendrillon demanda alors doucement :

"Puis-je essayer à mon tour ?"

Ses sœurs se moquèrent d'elle :

"Ton pied ne peut pas rentrer dans une pantoufle pareille !"

Mais le serviteur du roi, la trouvant belle malgré ses haillons, déclara qu'elle avait aussi le droit d'essayer.

Elle tendit alors le pied. La pantoufle lui allait si parfaitement qu'on l'aurait crue faite sur mesure !

Les deux sœurs en restèrent pétrifiées. Mais leur surprise fut encore bien plus grande quand Cendrillon sortit de sa poche la seconde pantoufle.

A cet instant, la bonne fée, que seule Cendrillon pouvait voir, apparut. Et d'un coup de baguette magique, elle changea ses haillons en une robe encore plus magnifique que celle qu'elle avait portée au bal.

Les deux sœurs reconnurent alors la majestueuse princesse. Elle se mirent à genoux devant elle et lui demandèrent pardon de l'avoir traitée si durement. Cendrillon, qui était aussi bonne que belle, leur pardonna de bon cœur.

Les serviteurs du roi l'emmenèrent au palais. Quand il revit la mystérieuse inconnue du bal, le prince la trouva plus gracieuse que jamais et décida de l'épouser le jour même. Tout le royaume, sans exception, fut convié aux noces de Cendrillon et de son prince qui fut le plus somptueux et le plus joyeux mariage qu'on eût jamais célébré à la Cour.